DR.OETKER
KÜCHENBIBLIOTHEK

HACKFLEISCH

MOEWIG

Die Rezepte sind – wenn nicht anders angegeben –
für 4 Personen berechnet.
Umschlagfoto: Königsberger Klopse (Rezept S. 16)

Verlagsunion Erich Pabel – Arthur Moewig KG, Rastatt
© Ceres Verlag Rudolf August Oetker KG Bielefeld
Umschlagentwurf und -gestaltung:
Werbeagentur Zeuner, Ettlingen
Umschlagfoto: Ceres Verlag / Winkler-Studios
Fotos im Innenteil:
Ceres Verlag / Thomas Diercks, Hamburg; Foto-Studio Büttner, Bielefeld;
Herbert Maass, Hamburg; Brigitte Wegner, Bielefeld;
Bernd Wohlgemuth, Düsseldorf; Christiane Pries, Borgholzhausen;
Somoroff; Arnold Zabert, Hamburg; Kopp, Füssen
Printed in Germany 1995
Druck und Bindung:
Graphischer Großbetrieb Pößneck GmbH
ISBN 3-8118-4232-3

Inhalt

Beliebt bei groß und klein:
Hackfleischbällchen

Allgäuer Käse-Frikadellen *(Foto S. 8/9)*

1/2 Brötchen	in kaltem Wasser einweichen, gut ausdrücken, mit
375 g Gehacktem (halb Rind-, halb Schweinefleisch) 2 kleinen Eiern	vermengen
150 g Allgäuer Emmentaler	in kleine Würfel schneiden, unter die Fleischmasse kneten, mit
Salz Pfeffer Paprika edelsüß	würzen
1 Eßl. gehackte Petersilie	hinzufügen, aus der Masse mit nassen Händen kleine Frikadellen formen
30-40 g Butterschmalz oder Margarine	erhitzen, die Frikadellen von beiden Seiten darin braten, warm stellen
Bratzeit:	8-10 Minuten.
	Für die Sauce den Bratensatz mit
3-4 Eßl. Wasser	loskochen
1 Becher (150 g) Crème fraîche	unterrühren, etwas einkochen lassen
2 Eßl. Weinbrand 1 Teel. grünen Pfeffer	unterrühren, erhitzen, die Sauce mit
Salz Pfeffer Pilz-Sojasauce (aus dem Reformhaus) Tabasco	abschmecken, die Frikadellen kurz in der Sauce erhitzen.
Beilage:	Rösti, Salat.

Frikadellen in Pfefferrahm

1 Zwiebel	abziehen und fein würfeln
1 Knoblauchzehe	abziehen und fein würfeln, mit
500 g Gehacktem (halb Rind-, halb Schweinefleisch)	vermengen

2 Eßl. Semmelbrösel oder	
1 eingeweichtes	
altbackenes Brötchen	
1 Ei	
1 Teel. grünen Pfeffer	unterkneten, den Fleischteig mit
geriebener Muskatnuß	
1 Teel. gerebeltem Majoran	
1 Teel. Salz	würzen, mit nassen Händen aus dem Teig Frikadellen formen
50 g Pflanzenfett	erhitzen, die Frikadellen darin von jeder Seite 4-5 Minuten braten, aus der Pfanne nehmen
1 Becher (200 g) Schmand	
125 ml (1/8 l) Schlagsahne	
etwas Senf	in den Bratenfond rühren, mit Salz und
1/2 Teel. geschrotetem Pfeffer	abschmecken und als Sauce reichen.

Pilzfrikadellen

1 altbackenes Brötchen	10 Minuten im Wasser einweichen und ausdrücken
150 g Steinpilze oder	
Champignons	putzen, evtl. waschen oder mit einem Küchentuch abreiben, fein hacken
250 g Gehacktes (halb Rind-,	
halb Schweinefleisch)	mit den Pilzen vermischen
1 Zwiebel	abziehen
1 Knoblauchzehe	abziehen
1 Bund Kerbel	abspülen und trockentupfen, alle Zutaten fein hacken, mit
1 Ei	und dem Brötchen unter den Fleischteig mischen, den Teig mit
Salz	
frisch gemahlenem Pfeffer	
2 Teel. Paprika edelsüß	
1/2 Teel. Rosenpaprika	würzen und mit nassen Händen 8 Frikadellen daraus formen, die Frikadellen mit
Pflanzenöl	bestreichen, auf Folie legen und unter den heißen Grill schieben, von jeder Seite 6-8 Minuten grillen, dabei zwischendurch nochmals mit Öl bestreichen.
Tip:	Dazu passen marinierte Paprikaschoten und Bauernbrot. Im Sommer können Sie die Frikadellen auch auf dem Holzkohlengrill zubereiten.

Beefburger

1 Zwiebel	abziehen, sehr fein hacken
1 Eßl. Pflanzenöl	erhitzen und die Zwiebel darin glasig dünsten, die Zwiebel herausnehmen, etwas abkühlen lassen und unter
600 g Rindergehacktes (oder Tatar)	mischen, die Masse mit
frisch gemahlenem Pfeffer	würzen, aus dem Gehackten mit nassen Händen 4 gleich große Burger formen, etwas flach drücken und auf dem Holzkohlengrill in 8-10 Minuten von beiden Seiten braun braten
2 Tomaten	waschen, in dünne Scheiben schneiden
4 Sesambrötchen	halbieren
einige Blätter Eisbergsalat	waschen, trockentupfen, die Brötchenhälften damit belegen, je einen Burger darauf legen und nach Belieben Salatblätter, Tomatenscheiben
Gurkenscheiben geröstete Zwiebeln	darauf schichten,
etwas Tomatenketchup oder mittelscharfen Senf	darauf geben und die andere Brötchenhälfte auflegen.
Tip:	Burger oder Hamburger bestehen nur aus Fleisch und werden im Gegensatz zu Frikadellen ohne Bindemittel wie z. B. Brötchen verarbeitet. Der ideale Burger ist außen knusprig braun und innen saftig und zart. Außerhalb der Grillsaison können Burger auch in der Pfanne zubereitet werden. Dazu 1 Eßlöffel Pflanzenöl erhitzen und die Burger von jeder Seite etwa 4-5 Minuten bei mittlerer Hitze braten.

Gefüllte Fleischbällchen (Foto)

2 Brötchen	in kaltem Wasser einweichen
2 Zwiebeln	abziehen, fein hacken, die gut ausgedrückten Brötchen und die Zwiebelwürfel mit
800 g Hackfleisch (halb Rind-, halb Schweinefleisch) 1 Eßl. Zitronensaft 2 Eiern	zu einer geschmeidigen Masse verkneten

12

2 Eßl. gehackte Petersilie	
1 Eßl. gehackte Minze	hinzufügen, den Fleischteig mit
Salz	
Pfeffer	würzen
250 g Feta-Käse	in Stücke schneiden
	mit einem kleinen Eßlöffel kleine Portionen von der Fleischmasse abteilen, mit bemehlten Händen flachdrücken, ein Stück Feta-Käse darauf geben und mit dem Fleischteig umhüllen, die Fleischbällchen leicht in
4 Eßl. Weizenmehl	wenden
Ausbackfett oder	
Butterschmalz	in einer Pfanne erhitzen, die Fleischbällchen von allen Seiten darin braun braten lassen.
Beigabe:	Brot oder Reis.

Kräuter-Frikadellen

1 Brötchen (vom Vortag)	einweichen, gut ausdrücken
1 Zwiebel	abziehen, würfeln, die beiden Zutaten mit
375 g Gehacktem (halb Rind-, halb Schweinefleisch)	
2 Eßl. gemischten, gehackten Kräutern (Petersilie, Dill, Schnittlauch, Estragon)	vermengen, mit
Salz	
Pfeffer	
Paprika edelsüß	würzen, aus der Masse mit nassen Händen Frikadellen formen, in einer Pfanne Fett erhitzen, die Frikadellen hineinlegen, von beiden Seiten darin braten.
Bratzeit:	Etwa 15 Minuten.

Cheeseburger

1 Zwiebel	abziehen, würfeln, mit
375 g Gehacktem (halb Rind-, halb Schweinefleisch)	
1 eingeweichten, ausgedrückten Brötchen	
1 Ei	
1 schwach gehäuften Teel. mittelscharfem Senf	vermengen, mit
Salz	
Pfeffer	
Paprika edelsüß	würzen aus dem Fleischteig 4 quadratische Frikadellen (7-8 cm groß) formen, auf den heißen Grill legen, mit
Speiseöl	bestreichen, unter den vorgeheizten Grill schieben, zunächst von der einen, dann von der anderen Seite grillen
4 Scheiben Chester-Käse (in der Größe der Frikadellen)	über Eck auf die garen Frikadellen legen, sie noch einmal unter den Grill schieben, auf die Cheeseburger nach Belieben
Tomaten-Ketchup	

gehackte Petersilie	geben
4 große Brötchen	durchschneiden, die Cheeseburgers dazwischenlegen.
Grillzeit für die Frikadellen:	
Ober-/Unterhitze:	jede Seite 4-5 Minuten
Heißluft:	jede Seite 4-5 Minuten
Gas:	jede Seite 3-4 Minuten
Überbackzeit für den Käse:	
Ober-/Unterhitze:	Etwa 3 Minuten
Heißluft:	Etwa 3 Minuten
Gas:	1-2 Minuten.
Beigabe:	Gurken-Tomaten-Zwiebel-Salat.

Hackfleisch-Steaks *(Foto)*

1 große Zwiebel	abziehen, fein hacken, mit
750 g Rindergehacktem	
1 Eßl. zerlassener Butter	
etwas Wasser	gut vermengen, mit
Salz	
Pfeffer	
Rosenpaprika	würzen, aus der Masse mit nassen Händen Frikadellen formen, leicht flachdrücken, auf dem Holzkohlengrill oder unter dem Elektrogrill von beiden Seiten knusprig braun braten.
Grillzeit:	Etwa 10 Minuten.

Königsberger Klopse

1 Brötchen (Semmel)	in kaltem Wasser einweichen
1 mittelgroße Zwiebel	abziehen, fein würfeln
500 g Gehacktes (halb Rind-, halb Schweinefleisch)	mit dem gut ausgedrückten Brötchen, der Zwiebel,
1 Eiweiß	
2 gestrichenen Teel. Senf	vermengen, mit
Salz	
gemahlenem Pfeffer	abschmecken, aus der Masse mit nassen Händen Klopse formen, in
750 ml (3/4 l) kochendes Salzwasser	geben, zum Kochen bringen, abschäumen, gar ziehen lassen (Wasser muß sich leicht bewegen), die Brühe durch ein Sieb gießen, 500 ml (1/2 l) davon abmessen.
	Für die Sauce
30 g Butter oder Margarine	zerlassen
35 g Weizenmehl	unter Rühren so lange darin erhitzen, bis es hellgelb ist
500 ml (1/2 l) Brühe	hinzugießen, mit einem Schneebesen durchschlagen, darauf achten, daß keine Klumpen entstehen, die Sauce zum Kochen bringen, etwa 5 Minuten kochen lassen
1 Eigelb	mit
2 Eßl. kalter Milch	verschlagen, die Sauce damit abziehen (nicht mehr kochen lassen)
1 Eßl. abgetropfte Kapern	hinzufügen, mit
Salz	
gemahlenem Pfeffer	
Speisewürze	
Zitronensaft	abschmecken, die Klopse in die Sauce geben, 5 Minuten darin ziehen lassen.
Garzeit:	Etwa 15 Minuten.

Salbei-Frikadellen

500 g Schweinegehacktes	mit
1 Ei	und
4 Eßl. Semmelbrösel	zu einem Teig verkneten, den Fleischteig mit
Salz	
frisch gemahlenem Pfeffer	
2 Teel. gehacktem Salbei	
(oder 1 Teel. gerebeltem	
Salbei)	kräftig würzen, mit nassen Händen aus dem Teig 8 Frikadellen formen
50 g Butter	
oder Pflanzenfett	erhitzen und die Frikadellen darin von jeder Seite etwa 10 Minuten braun braten vor dem Servieren ein frisches Salbeiblatt auf jede Frikadelle legen.
Tip:	Salbeifrikadellen zu Auberginen-Tomaten-Gemüse servieren.

Hackfleischbällchen
in Kräutersahne *(Foto)*

1 altbackenes Brötchen	10 Minuten in kaltem Wasser einweichen
1 Zwiebel	abziehen und fein hacken das Brötchen ausdrücken und mit der gehackten Zwiebel,
1 Ei	und
400 g magerem Rinderhack	vermischen, den Fleischteig mit
Salz	
frisch gemahlenem weißem Pfeffer	würzen und gut durchkneten
1 l Fleischbrühe	aufkochen, aus dem Hackfleischteig kleine Bällchen formen und in die siedende Fleischbrühe geben, je nach Größe etwa 3 Minuten garen, die Hackfleischbällchen mit einem Schaumlöffel herausnehmen und warm stellen die Hälfte der Fleischbrühe im geöffneten Kochtopf bis auf wenige Eßlöffel einkochen
200 g Crème fraîche	unterrühren, die Sauce erhitzen, evtl. noch etwas einkochen, bis die gewünschte Konsistenz erreicht ist, und abschmecken

18

3 Eßl. feingehackte Kräuter
(Petersilie, Schnittlauch,
Kerbel, Estragon) und die Hackfleischbällchen unterheben, heiß
werden lassen und in eine vorgewärmte Schüssel
füllen.

Tip: Dazu passen Reis und grüner Salat.

Zucchini mit Hackfleisch-Klößchen

Für die Mettklößchen

von

3 Scheiben Weißbrot	die Rinde abschneiden, das Brot in
125 ml (1/8 l)	
lauwarmem Wasser	einweichen
1 Zwiebel	abziehen, fein würfeln
500 g Gehacktes (halb Rind-, halb Schweinefleisch)	mit den gut ausgedrückten Weißbrotscheiben, den Zwiebelwürfeln,
1 Ei	
1 Teel. Senf	gut vermengen, mit
Salz	
Pfeffer	würzen, aus der Hackfleisch-Masse Klößchen formen
1 Eßl. Butter	in einer großen Pfanne erhitzen, die Fleischklößchen darin goldbraun braten, warm stellen.

Für das Zucchinigemüse

von

750 g Zucchini	die Enden abschneiden, die Zucchini waschen, abtrocknen, in dünne Scheiben schneiden
5-6 Zwiebeln	abziehen, fein würfeln
1-2 Eßl. Butter	zerlassen, die Zwiebelwürfel darin glasig dünsten lassen, die Zucchinischeiben hinzufügen, mit Salz, Pfeffer würzen
5 Salbeiblättchen	vorsichtig abspülen, trockentupfen, grob zerkleinern, mit
6 Eßl. Weißwein	in das Gemüse geben, im geschlossenen Topf gar dünsten lassen, die Fleischklößchen auf dem Gemüse anrichten.
Bratzeit:	Etwa 8 Minuten.
Dünstzeit:	7-10 Minuten.

Friesische Hackbällchen *(Foto)*

1 Brötchen	in kaltem Wasser einweichen, gut ausdrücken, mit
250 g Rindergehacktem	
250 g Thüringer Mett	
2 Eiern	vermengen

100 g frische gepulte Krabben	hacken, mit
gehacktem Dill	
abgeriebener Schale	
von 1/2 Zitrone	
(unbehandelt)	zu dem Gehackten geben, gut vermengen, mit
Salz	
Pfeffer	würzen, aus der Fleischmasse mit nassen Händen walnußgroße Bällchen formen
125 ml (1/8 l) Speiseöl	erhitzen, die Bällchen portionsweise unter öfterem Wenden darin braten, auf Küchenpapier abtropfen lassen.
Bratzeit je Portion:	Etwa 5 Minuten.

Frikadellen mit Käsehaube

2 Brötchen (Semmeln)	in kaltem Wasser einweichen
2 mittelgroße Zwiebeln	abziehen, fein würfeln
500 g Gehacktes (halb Rind-, halb Schweinefleisch)	mit den gut ausgedrückten Brötchen, den Zwiebeln,
2 Eiern	vermengen, mit
Salz	
Pfeffer	
Mango-Chutney	abschmecken, die Blättchen von
1/2 Kästchen Kresse	abschneiden, waschen, abtropfen lassen, unter die Fleischmasse mengen, mit nassen Händen acht Frikadellen formen, auf ein Backblech legen, mit
2 Eßl. Speiseöl	bestreichen, in den Backofen schieben, etwa 35 Minuten von beiden Seiten braten lassen, etwa 5 Minuten vor Beendigung der Bratzeit
8 gedünstete Pfirsichhälften	abtropfen lassen, auf die Frikadellen geben, mit
Pfeffer	bestreuen
8 Scheiben Käse	darauf legen, überbacken lassen, mit
Kresse	garnieren, sofort servieren.
Ober-/Unterhitze:	Etwa 225 °C
Heißluft:	Etwa 200 °C
Gas:	Etwa Stufe 4
Backzeit:	Etwa 35 Minuten.
Beigabe:	Stangenweißbrot oder Toastbrot, Grüner Salat.

Quark-Fleisch-Frikadellen (Foto)

2 Zwiebeln	abziehen, fein würfeln
400 g Gehacktes (halb Rind-, halb Schweinefleisch)	
200 g gut abgetropfter Speisequark (Magerstufe)	
2 Eier	die Zutaten vermengen, mit
Salz	
Pfeffer	abschmecken, aus der Masse mit nassen Händen 4 flache, ovale Frikadellen formen, in
40 g Semmelbrösel	wenden
40 g Margarine	erhitzen, die Frikadellen darin braten.
Bratzeit:	Von jeder Seite etwa 5 Minuten.
Beilage:	Möhrengemüse, Kartoffelbrei.

**Preiswerte Braten
aus Hackfleisch**

Portugiesischer Hackbraten *(Foto S. 24/25)*

500 g Gehacktes (halb Rind-, halb Schweinefleisch)	in eine Schüssel geben
1 altbackenes Brötchen	in
kaltem Wasser	einweichen, gut ausdrücken, zum Fleisch geben
1 mittelgroße Zwiebel	abziehen, sehr fein würfeln
einige Zweige Petersilie	unter fließendem kaltem Wasser abspülen, gut abtropfen lassen, sehr fein hacken
1 Knoblauchzehe	abziehen, mit
1 Teel. Salz	zu einer Paste zerreiben
3 Sardellenfilets	unter fließendem kaltem Wasser abspülen, trocknen, sehr fein würfeln, die Zwiebelwürfel, die Petersilie, die Knoblauchpaste, die Sardellenwürfel mit
2 Eßl. Kapern	
1 Ei	
40 g Semmelbrösel	zum Fleisch geben, alles zu einer kompakten Masse verarbeiten, mit
Pfeffer	
Paprikapulver	
Kümmelpulver	würzen die Masse mit feuchten Händen zu einem Laib formen
50 g durchwachsenen, geräucherten Speck	in kleine Würfel schneiden, mit
30 g Butterschmalz	in einem Bräter zerlassen
1 große Zwiebel	abziehen, fein würfeln
1 Porreestange	putzen, längs halbieren, gründlich waschen, in Stücke schneiden
1 Möhre	putzen, schälen, waschen, in Würfel schneiden den Hackbraten in den Bräter geben, in den Backofen schieben
Ober-/Unterhitze:	Etwa 200 °C (vorgeheizt
Heißluft:	Etwa 180 °C (nicht vorgeheizt)
Gas:	Etwa Stufe 3 (vorgeheizt)
	nach etwa 20 Minuten erst etwas Rotwein von
125 ml (1/8 l) Rotwein	zugeben, dann das vorbereitete Gemüse dazugeben und mitschmoren
	nach weiteren 20 Minuten den Rest des Rotweins dazugeben und fertig garen (etwa nochmals 20 Minuten), mit
Kräuterzweigen	garniert servieren.
Tip:	Die Sauce eventuell mit dem Gemüse pürieren.

Hackbraten, griechische Art

2 Brötchen	in kaltem Wasser einweichen, gut ausdrücken
125 g durchwachsenen Speck	in Würfel schneiden
1 Eßl. Speiseöl	erhitzen, die Speckwürfel darin ausbraten
2 Zwiebeln	abziehen, würfeln
2 Knoblauchzehen	abziehen, zerdrücken
	beide Zutaten zu dem Speck geben, glasig dünsten, erkalten lassen, mit den Brötchen,
1 kg Rindergehacktem	
3 Eiern	
2 Eßl. gehackter Petersilie	
2 Eßl. feingeschnittenem Schnittlauch	
1 Eßl. Tomatenmark	vermengen, mit
Salz	
Pfeffer	
Rosenpaprika	würzen, die Masse gut durcharbeiten, mit Salz, Pfeffer, Rosenpaprika abschmecken
175 g Schafskäse	mit einer Gabel zerdrücken, mit
6 Eßl. Sahne	
gerebeltem Thymian	
gerebeltem Basilikum	verrühren, eine Pieform (Durchmesser etwa 26 cm) oder eine flache Auflaufform mit
Speiseöl	ausstreichen, die Hälfte des Fleischteiges hineingeben, glattstreichen, die Schafskäse-Masse darauf geben, am Rand 1-2 cm frei lassen, mit der restlichen Fleischmasse bedecken, glattstreichen, mit Speiseöl beträufeln, die Form auf dem Rost in den Backofen schieben, nach etwa 40 Minuten Backzeit den Hackbraten mit
3 Lorbeerblättern	belegen, mit
1-2 Eßl. Pinienkernen	bestreuen.
Ober-/Unterhitze:	Etwa 200 °C (vorgeheizt)
Heißluft:	Etwa 180 °C (nicht vorgeheizt)
Gas:	Stufe 3-4 (vorgeheizt)
Backzeit:	Etwa 1 Stunde.

Für das Tomaten-Ketchup

2 Zwiebeln	
2 Knoblauchzehen	beide Zutaten abziehen, in feine Würfel schneiden, mit

bitte umblättern

500 g Tomaten (aus der Dose)	
3 Eßl. Rotwein-Essig	zum Kochen bringen, etwa 15 Minuten dünsten lassen, die Masse durch ein Sieb streichen
2 Teel. Dijon-Senf	
1 Eßl. Zucker	
1 Teel. gemahlenen Zimt	hinzufügen, das Tomaten-Ketchup in 20-30 Minuten dicklich einkochen lassen, mit Salz, Pfeffer,
Chilipulver	würzen, mit dem Hackbraten warm oder kalt servieren.

Hackbraten auf Kartoffel-Gratin

1 altbackenes Brötchen	in Wasser einweichen, anschließend gut ausdrücken
1 Bund Petersilie	abspülen, trockentupfen und fein hacken, beides mit
1 Ei	
500 g gemischtem Hackfleisch	vermischen, den Fleischteig mit
Salz, 1/2 Teel. Senf	
Pfeffer aus der Mühle	
geriebener Muskatnuß	kräftig würzen
200 g Pikantje van Gouda	in dicke Scheiben schneiden, den Fleischteig zu einem flachen, länglichen Laib formen, in die Mitte den Käse einlegen und mit Fleischteig umschließen, in eine gebutterte Auflaufform setzen (die Form sollte möglichst groß sein), mit
1 gehäuften Teel. Kräuter der Provence	bestreuen
1 kg mehligkochende Kartoffeln	schälen und in dünne Scheiben hobeln, mit Salz, Pfeffer und Muskat kräftig würzen, einen Teil von
125 ml (1/8 l) Milch oder Schlagsahne	zugeben, gut mischen, Kartoffeln um den Hackbraten schichten, restliche Sahne zugießen, den Auflauf in den kalten Backofen schieben.
Ober-/Unterhitze:	Etwa 200 °C
Heißluft:	160-170 °C
Gas:	Stufe 3-4
Backzeit:	Etwa 60 Minuten.

Amerikanischer Hackbraten

1 Brötchen (Semmel)	in kaltem Wasser einweichen, gut ausdrücken
1-2 Zwiebeln	abziehen, fein würfeln
Butter oder Margarine	zerlassen, die Zwiebeln darin glasig dünsten
etwa 250 g Champignons	
(aus der Dose)	abtropfen lassen (Flüssigkeit auffangen), die Pilze vierteln, zu den Zwiebeln geben, durchdünsten lassen, mit
Salz	
Pfeffer	würzen
2 Eßl. feingehackte Petersilie	unterrühren, abkühlen lassen
750 g Gehacktes (halb Rind-,	
halb Schweinefleisch)	mit den Pilzen, dem Brötchen,
1 Ei	
2 Eigelb	
etwas scharfem Senf	vermengen, mit Salz, Pfeffer,
Paprika edelsüß	würzen, die Masse zu einem länglichen Stück formen, in
Semmelmehl	wenden, eine längliche, feuerfeste Form mit
Butter oder Margarine	fetten, den Fleischteig hineingeben, mit
3 Scheiben	
durchwachsenem Speck	belegen, die Form ohne Deckel in den Backofen stellen
2 Eiweiß	steif schlagen
1 Teel. Senf	unterrühren, etwa 5 Minuten vor Beendigung der Bratzeit auf den Hackbraten streichen.
Ober-/Unterhitze:	200 °C
Heißluft:	180 °C
Gas:	Stufe 4
Backzeit:	etwa 1 Stunde
	den garen Hackbraten in Scheiben schneiden, auf einer vorgewärmten Platte anrichten, warm stellen.
	Für die Sauce
	den Bratensatz mit Wasser lösen, in einen Topf geben, mit der Champignonflüssigkeit und evtl. etwas Wasser auffüllen, zum Kochen bringen, mit
1-2 Eßl. Weizenmehl	
3-4 Eßl. kaltem Wasser	anrühren, unter Rühren in die Flüssigkeit geben, zum Kochen bringen, etwa 5 Minuten kochen lassen, die Sauce evtl. nochmals mit den Gewürzen abschmecken.
Beigabe:	Kartoffelbrei, Möhren-Gemüse.

Hackbraten im Tontopf

1 Zwiebel	abziehen, würfeln, mit
750 g Gehacktem (halb Rind-, halb Schweinefleisch)	
2 Eiern	
2 Eßl. Tomatenmark	
250 g Speisequark	vermengen, mit
Salz	
Pfeffer	
Paprika edelsüß	abschmecken, den Fleischteig zu einem länglichen Kloß formen, den gewässerten Tontopf mit der Hälfte von
70 g fetten Speckscheiben	auslegen, den Hackfleischkloß darauf geben, mit den restlichen Speckscheiben belegen, den Tontopf mit dem Deckel verschließen, in den Backofen stellen, den garen Hackbraten in Scheiben schneiden, auf einer vorgewärmten Platte anrichten, warm stellen, den Bratensatz durch ein Sieb gießen, einfetten, zum Kochen bringen
1 Teel. Speisestärke	mit
1 Eßl. kaltem Wasser	anrühren, den Bratensatz damit binden, die Sauce mit Salz, Pfeffer, Paprika abschmecken.
Ober-/Unterhitze:	200-225 °C
Heißluft:	180-200 °C
Gas:	Stufe 4-5
Backzeit:	Etwa 70 Minuten.

Falscher Hase *(Foto)*

2 Brötchen (Semmeln)	in kaltem Wasser einweichen
2 mittelgroße Zwiebeln	abziehen, fein würfeln
750 g Hackfleisch (halb Rind-, halb Schweinefleisch)	mit den gut ausgedrückten Brötchen, den Zwiebelwürfeln,
2 Eiern	
1 gehäuften Teel. Senf	
1 Eßl. gehackter Petersilie	vermengen, mit
Salz, Pfeffer	abschmecken, aus der Masse mit nassen Händen einen länglichen Kloß formen, in eine mit Wasser ausgespülte Rostbratpfanne legen

40 g durchwachsenen Speck	in feine Streifen schneiden, den Kloß damit belegen, gut mit einem Messer eindrücken, in den vorgeheizten Backofen schieben; sobald der Bratensatz bräunt, etwas
heißes Wasser	hinzugießen, das Fleisch ab und zu mit dem Bratensatz begießen, verdampfte Flüssigkeit nach und nach durch heißes Wasser ersetzen
1 mittelgroße Zwiebel	abziehen
1 mittelgroße Tomate	waschen, beide Zutaten vierteln, 30 Minuten vor Beendigung der Bratzeit in die Rostbratpfanne geben, mitbraten lassen, das gare Fleisch in Scheiben schneiden, auf einer vorgewärmten Platte anrichten, warm stellen, den Bratensatz mit etwas Wasser loskochen, durch ein Sieb gießen, mit Wasser auf 500 ml (1/2 l) auffüllen, auf der Kochstelle zum Kochen bringen
25 g Speisestärke, z.B. Gustin	mit
3 Eßl. kaltem Wasser	anrühren, die Flüssigkeit damit binden, die Sauce mit Salz, Pfeffer abschmecken.
Ober-/Unterhitze:	200-225 °C (vorgeheizt)
Heißluft:	180-200 °C (nicht vorgeheizt)
Gas:	Stufe 4-5 (vorgeheizt)
Backzeit:	Etwa 1 Stunde.
Veränderung:	Als Füllung weichgekochte Eier oder Möhren verwenden.

**Leckere Aufläufe
aus dem Ofen**

Lasagne mit Basilikum *(4-6 Portionen)*

Für die Fleisch-Sauce

2 Eßl. Speiseöl	erhitzen
500 g Gehacktes (halb Rind-, halb Schweinefleisch)	hinzufügen, unter Rühren anbraten, dabei die Fleischklümpchen mit einer Gabel zerdrücken
200 g Zwiebeln *2 Knoblauchzehen*	beide Zutaten abziehen, würfeln, zu dem Gehackten geben, mitdünsten lassen
etwa 70 g Tomatenmark (aus der Dose) *125 ml (1/8 l) Wasser*	mit unterrühren, mit
Salz *Pfeffer* *Paprika edelsüß*	würzen
1/2 Bund Basilikum	vorsichtig abspülen, trockentupfen, die Blättchen von den Stielen zupfen, zu dem Gehackten geben, die Fleisch-Sauce etwa 15 Minuten schmoren lassen, evtl. nochmals mit Salz, Pfeffer, Paprika abschmecken
250 g grüne Lasagne-Nudeln *2-3 l kochendes Salzwasser* *1 Eßl. Speiseöl*	in geben hinzufügen, die Nudeln zum Kochen bringen, 10-12 Minuten kochen lassen, auf ein Sieb geben, mit lauwarmem Wasser übergießen.

Für die Käse-Sauce

40 g Butter oder Margarine	zerlassen
40 g Weizenmehl	unter Rühren so lange darin erhitzen, bis es hellgelb ist
625 ml (5/8 l) Milch	hinzugießen, mit einem Schneebesen durchschlagen, darauf achten, daß keine Klumpen entstehen, zum Kochen bringen, 2/3 von
125 g geriebenem mittelaltem Gouda-Käse	unterrühren, die Sauce etwa 5 Minuten kochen lassen, mit
Salz *Pfeffer* *geriebener Muskatnuß*	abschmecken
1 kg Fleischtomaten	kurze Zeit in kochendes Wasser legen (nicht kochen lassen), in kaltem Wasser abschrecken, enthäuten, halbieren, die Stengelansätze herausschneiden, die Tomatenhälften in Scheiben schneiden

34

1/2-1 Bund Basilikum	vorsichtig abspülen, trockentupfen, die Blätt-chen von den Stielen streifen, die Blättchen hacken, eine viereckige Form ausfetten, ab-wechselnd jeweils einen Teil Lasagne-Nudeln, Fleisch-Sauce, Tomatenscheiben (mit Pfeffer und gehacktem Basilikum bestreut), Käse-Sauce einschichten, die oberste Schicht sollte aus Käse-Sauce bestehen.
Ober-/Unterhitze:	200-225 °C (vorgeheizt)
Heißluft:	180-200 °C (nicht vorgeheizt)
Gas:	Stufe 4-5 (vorgeheizt)
Backzeit:	Etwa 40 Minuten.
Beigabe:	Grüner Salat.

Austernpilzauflauf
mit Currysauce *(Foto S. 32/33)*

500 g Austernpilze	putzen, mit Küchenpapier abreiben, in dünne Scheiben schneiden
2 Eßl. Butter	zerlassen
250 g Hackfleisch (halb Rind-, halb Schweinefleisch)	hinzufügen, unter ständigem Rühren anbraten, dabei die Fleischklümpchen etwas zerdrücken, die Pilze und
5 Eßl. Fleischbrühe	dazugeben, 5-10 Minuten dünsten lassen, die Hackfleisch-Pilz-Masse mit
Salz *frisch gemahlenem* *weißem Pfeffer*	würzen.
	Für die Currysauce
20 g Butter	in einem Topf zerlassen
1 gestr. Eßl. Weizenmehl	darüberstäuben, unter Rühren hellgelb andünsten
250 ml (1/4 l) Milch	hinzugießen, mit einem Schneebesen gut durchschlagen, damit sich keine Klümpchen bilden, die Sauce zum Kochen bringen, etwa 5 Minuten bei geringer Hitze köcheln lassen, mit
Salz *1 Teel. Currypulver*	würzen
1 Eigelb	mit
2 Eßl. Schlagsahne	verquirlen, die Sauce damit legieren (nicht mehr

bitte umblättern

kochen lassen!), eine Auflaufform einfetten, die
Pilzmasse hineingeben, mit der Sauce übergießen

2 Eßl. geriebenen
Parmesan-Käse darüberstreuen, die Form auf dem Rost in den
kalten Backofen schieben.

Ober-/Unterhitze: Etwa 200 °C (vorgeheizt)
Heißluft: Etwa 160 °C (nicht vorgeheizt)
Gas: Stufe 3-4 (vorgeheizt)
Backzeit: 20-25 Minuten.
Tip: Salzkartoffeln oder Bauernbrot dazu reichen.

Deftiger Rosenkohlauflauf *(Foto)*

300 g Rosenkohl von den schlechten äußeren Blättchen befreien,
etwas vom Strunk abschneiden, waschen, in feine Streifen schneiden, in

kochendem Wasser etwa 8 Minuten blanchieren, auf ein Sieb gießen, unter fließendem kaltem Wasser abspülen,
abtropfen lassen

1 Gemüsezwiebel abziehen, würfeln
3 Eßl. Speiseöl erhitzen, Zwiebelwürfel und
300 g Rinderhack darin anbraten, mit
Salz
frisch gemahlenem Pfeffer
gerebeltem Majoran würzen, den Boden einer gefetteten Auflaufform mit

4 kleinen Portionen
Kartoffelpüree
(aus der Packung) bestreichen, das angebratene Rinderhack darauf
geben, etwas andrücken, den abgetropften Rosenkohl auf das Rinderhack schichten

100 g durchwachsenen Speck in Würfel schneiden, auslassen, darauf verteilen,
mit

200 g Schlagsahne
2 Eiern verquirlen, mit Salz, Pfeffer, Majoran würzen,
über den Rosenkohl gießen, den Auflauf mit
30 g Semmelbröseln bestreuen
30 g Butter in Flöckchen darauf setzen.
Ober-/Unterhitze: Etwa 200 °C (nicht vorgeheizt)
Heißluft: Etwa 180 °C (nicht vorgeheizt)
Gas: Stufe 3-4 (nicht vorgeheizt)
Backzeit: Etwa 45 Minuten.

Badischer Nudeltraum mit Hackfleisch

2 Eßl. Speiseöl	erhitzen
400 g Rinderhackfleisch	hinzufügen, unter ständigem Rühren darin anbraten, dabei die Fleischklümpchen etwas zerdrücken
2 Zwiebeln	abziehen, halbieren, fein würfeln, zum Fleisch geben, 2-3 Minuten mitbraten, mit
Salz	
gemahlenem Pfeffer	würzen
250 g Bandnudeln	in
2 1/2 l kochendes Salzwasser	geben
1 Eßl. Speiseöl	hinzufügen, die Nudeln nach Packungsaufschrift garen, zwischendurch probieren, wenn die Nudeln gar sind, den Garvorgang mit einem Schuß kaltem Wasser beenden, die Nudeln auf ein Sieb geben, abtropfen lassen, von
250 g Broccoli	die Blätter entfernen, die Stengel am Strunk schälen, waschen, in Röschen teilen, die Röschen halbieren, 5 Minuten in
250 ml (1/4 l) Hühnerbrühe	garen, auf ein Sieb geben, abtropfen lassen, die Brühe auffangen
3 Tomaten	kurze Zeit in kochendes Wasser legen (nicht kochen lassen), in kaltem Wasser abschrecken, enthäuten, die Stengelansätze herausschneiden, die Tomaten in Scheiben schneiden, Fleisch und 2/3 der Nudeln in eine gefettete, feuerfeste Form füllen, darauf Broccoliröschen und Tomatenscheiben anrichten, mit Salz, Pfeffer würzen, Gemüsebrühe dazugießen, die restlichen Nudeln darauf geben, mit
2-3 Eßl. geriebenem mittelaltem Gouda	bestreuen, die Form in den Backofen schieben.
Ober-/Unterhitze:	Etwa 200 °C (vorgeheizt)
Heißluft:	Etwa 180 °C (nicht vorgeheizt)
Gas:	Etwa Stufe 4 (vorgeheizt)
Backzeit:	Etwa 25 Minuten.
Beigabe:	Tomatensauce.

Zucchiniauflauf mit süß-saurer Sauce

500 g Zucchini	putzen, waschen, in Scheiben schneiden
2 Eßl. Pflanzenöl	erhitzen, die Zucchinischeiben kurz darin anbraten, mit
Salz	
frisch gemahlenem Pfeffer	würzen
2 Knoblauchzehen	abziehen und durch eine Knoblauchpresse über das Gemüse geben, das Gemüse mit
1/2 Eßl. Essigessenz (25 %)	
125 ml (1/8 l) Weißwein	ablöschen und etwa 3 Minuten schwach kochen lassen, die Zucchinischeiben herausnehmen und den Sud auffangen
250 g Tomaten	kurz in kochendes Wasser legen (nicht kochen lassen), in kaltem Wasser abschrecken, enthäuten, die Stengelansätze herausschneiden und das Fruchtfleisch würfeln, die Tomatenwürfel,
125 ml (1/8 l) Schlagsahne	
1/2 Teel. gemahlenen Ingwer	verrühren, den Zucchinisud dazugeben und etwas einkochen lassen, die Sauce etwas abkühlen lassen
100 g geriebenen Gouda	unterrühren
1 Zwiebel	abziehen, fein würfeln und mit
400 g Gehacktem (halb Rind-, halb Schweinefleisch)	
1 Ei	zu einem Fleischteig verkneten, den Teig mit Salz und Pfeffer würzen, eine Auflaufform ausfetten, Zucchinischeiben und Fleischteig mit etwas Sauce abwechselnd hineinschichten, die oberste Schicht sollte aus Zucchini bestehen, die restliche Tomaten-Käse-Sauce darübergießen, den Auflauf mit
Butterflöckchen	besetzen und die Form auf dem Rost in den Backofen schieben.
Ober-/Unterhitze:	Etwa 185 °C (vorgeheizt)
Heißluft:	Etwa 160 °C (nicht vorgeheizt)
Gas:	Etwa Stufe 3 (vorgeheizt)
Garzeit:	Etwa 30 Minuten
Tip:	Als Beilage ofenwarmes Baguette reichen Die Zucchini sollten möglichst klein sein, da sie dann zarter sind und weniger Kerne enthalten. Zucchini werden nicht geschält.

Hügel-Gratin *(Foto)*

1 kg Rosenkohl	putzen, waschen und jeweils den Strunk kreuzweise einschneiden
1 kg kleine festkochende Kartoffeln	waschen, schälen, eventuell etwas kleiner schneiden, so daß sie die Größe der Rosenkohlröschen haben
50 g Butter	in einer großen Pfanne zerlassen, Rosenkohl und Kartoffeln darin unter häufigem Wenden etwa 15 Minuten dünsten
1 Zwiebel	abziehen und fein würfeln, aus
500 g Rinderhackfleisch	
200 g Magerquark	
1 Ei	und den Zwiebelwürfeln einen Teig kneten
1 Knoblauchzehe	abziehen und fein hacken, die Hälfte davon unter das Fleisch mengen, die Fleischmasse mit
Salz, Pfeffer	kräftig abschmecken, Bällchen von der Größe des Rosenkohls formen, Rest-Knoblauch unter
500 g saure Sahne	ziehen und mit
125 ml (1/8 l) Milch	verrühren, das Gemüse leicht würzen eine flache Auflaufform mit
Butter oder Margarine	einfetten, Kartoffeln, Rosenkohl und Fleischklößchen dicht an dicht in buntem Wechsel setzen und mit Sahnemilch begießen, die Form in den Backofen schieben.
Ober-/Unterhitze:	Etwa 220 °C (vorgeheizt)
Heißluft:	Etwa 200 °C (nicht vorgeheizt)
Gas:	Etwa Stufe 4 (vorgeheizt)
Backzeit:	Etwa 60 Minuten.

Hackauflauf mit Möhren und Blumenkohl

1 kleinen Blumenkohl	von Blättern, schlechten Stellen und dem Strunk befreien, Röschen abtrennen, abspülen
250 g Möhren	putzen, schälen, waschen, in dünne Scheiben schneiden
500 ml (1/2 l) leicht gesalzenes Wasser	zum Kochen bringen, Blumenkohl hineingeben, zugedeckt etwa 8 Minuten garen, anschließend Möhrenscheiben hinzugeben, nochmals 4 Minuten weitergaren, abgießen, etwas Flüssigkeit aufheben
1 Zwiebel	abziehen, fein würfeln
1 Eßl. Butterschmalz	in einer Pfanne zerlassen
300 g Rindergehacktes	hinzufügen, die Fleischklümpchen mit einer Gabel zerdrücken, Zwiebelwürfel hinzufügen, alles anbraten, mit
Salz, frisch gemahlenem Pfeffer Currypulver 1/2 Teel. gerebeltem Thymian Paprikapulver	würzen, Pfanne von der Kochstelle nehmen, mit abschmecken, Blumenkohlröschen, Möhrenscheiben und Hackfleisch abwechselnd in eine feuerfeste gefettete Form schichten
100 g durchwachsenen Speck	würfeln
1 Eßl. Speiseöl	in einem Topf erhitzen, Speckwürfel darin bräunen
2 Teel. Weizenmehl	hinzufügen, darauf achten, daß keine Klümpchen entstehen
250 ml (1/4 l) Milch 125 ml (1/8 l) Blumenkohlwasser	hinzugießen, 5 Minuten kochen lassen, mit
Salz, Pfeffer	abschmecken
2 Ecken Salami-Schmelzkäse	in Flöckchen dazugeben, unter Rühren auflösen, aufkochen lassen, die Käsesauce über Gemüse und Hackfleisch geben.
Ober-/Unterhitze:	Etwa 200 °C (nicht vorgeheizt)
Heißluft:	Etwa 180 °C (nicht vorgeheizt)
Gas:	Etwa Stufe 4 (nicht vorgeheizt)
Backzeit:	Etwa 35 Minuten.
1/2 Bund Petersilie	abspülen, trockentupfen, die Blättchen von den Stengeln zupfen, vor dem Servieren über das Gericht streuen.

Fränkischer Krautauflauf

1 mittelgroßen Kopf Weißkohl (etwa 1 kg)	waschen, kurz in kochendes Wasser geben, 6-8 große Blätter ablösen, den restlichen Kohl kleinschneiden
1 Zwiebel	abziehen, fein würfeln
80 g Schweineschmalz	zerlassen, den kleingeschnittenen Kohl mit den Zwiebelwürfeln
Salz *1 Lorbeerblatt* *1 Gewürznelke* *Schmalz*	weichdünsten, eine Auflaufform mit einfetten, mit 3-4 Kohlblättern auslegen, den gedünsteten Kohl mit
500 g Hackfleisch (halb Rind-, halb Schweinefleisch) frisch gemahlenem weißem Pfeffer	gut vermischen, mit Salz,
evtl. gemahlenem Kümmel	würzen, die Kohl-Fleisch-Masse auf die Kohlblätter geben, mit den restlichen Kohlblättern abdecken
50 g fetten Speck	in dünne Streifen schneiden, den Auflauf mit den Speckscheiben belegen und mit
2 Eßl. saurer Sahne	bestreichen, die Form auf dem Rost in den kalten Backofen schieben und backen.
Ober-/Unterhitze:	200-225 °C
Heißluft:	170-180 °C
Gas:	Stufe 4-5
Backzeit:	Etwa 60 Minuten. Den Auflauf zum Servieren in Scheiben schneiden.
Tip:	Sie können das Lorbeerblatt und die Nelke aus dem fertig gedünsteten Kohl entfernen.

Hackauflauf mit weißen Bohnen

2 Dosen weiße Bohnen (je 265 g Abtropfgewicht)	auf ein Sieb geben, abtropfen lassen, die Flüssigkeit auffangen
125 g durchwachsenen Speck	in kleine Würfel schneiden
500 g Zwiebeln	abziehen, in Ringe schneiden

30 g Butter	zerlassen, den Speck darin auslassen, Zwiebeln darin glasig dünsten, mit
gemahlenem Rosmarin	würzen, aus dem Fett heben, in dem restlichen Fett
375 g Hackfleisch (halb Rind-, halb Schweinefleisch)	unter ständigem Rühren anbraten, dabei die Fleischklümpchen mit einer Gabel etwas zerdrücken, das Hackfleisch mit
Salz frisch gemahlenem weißem Pfeffer Knoblauchpulver	würzen die Hälfte der Bohnen in eine gefettete, feuerfeste Form geben, die Zwiebeln darauf legen, darüber das Hackfleisch füllen, die restlichen Bohnen darübergeben und mit Knoblauch würzen, 250 ml (1/4 l) Bohnenflüssigkeit abmessen, mit
1 Ei	verquirlen, über den Auflauf gießen, den Auflauf mit
4 Eßl. Semmelbrösel	bestreuen
20 g Butter	in Flöckchen darauf verteilen, die Form in den Backofen schieben.
Ober-/Unterhitze:	Etwa 250 °C (vorgeheizt)
Heißluft:	180-190 °C (nicht vorgeheizt)
Gas:	Etwa Stufe 5 (vorgeheizt)
Backzeit:	Etwa 30 Minuten.

Kartoffel-Lauch-Auflauf *(Foto S. 47)*

750 g festkochende Kartoffeln	waschen, mit der Schale in Wasser zum Kochen bringen, in etwa 20 Minuten gar kochen lassen, die Kartoffeln abgießen, heiß pellen, erkalten lassen und in Scheiben schneiden
4 Stangen Lauch	putzen, in Ringe schneiden, gründlich waschen und abtropfen lassen, die Lauchringe in
kochendem Salzwasser	blanchieren, auf ein Sieb geben und abtropfen lassen
2 Zwiebeln	abziehen, fein würfeln
2 Knoblauchzehen	abziehen, fein würfeln
2 Eßl. Pflanzenöl	erhitzen, Zwiebel- und Knoblauchwürfel darin andünsten

bitte umblättern

500 g Gehacktes (halb Rind-,
halb Schweinefleisch) dazugeben und unter ständigem Rühren anbraten, dabei die Fleischklümpchen mit einer Gabel zerdrücken, das Gehackte mit

Salz
frisch gemahlenem Pfeffer
etwas Cayennepfeffer würzen
250 g saure Sahne und
2 Eßl. Pflanzenöl verrühren
eine feuerfeste Form gut einfetten, die Hälfte der Kartoffelscheiben und Lauchringe hineingeben, mit Salz würzen, die Hälfte der Sahne darübergeben, das Gehackte darauf verteilen, mit den restlichen Lauchringen und Kartoffelscheiben bedecken, die restliche Sahne darübergeben, mit

50 g geriebenem
Emmentaler-Käse bestreuen, die Form auf dem Rost in den Backofen schieben.
Ober-/Unterhitze: 175-200 °C (nicht vorgeheizt)
Heißluft: 160-170 °C (nicht vorgeheizt)
Gas: Stufe 3-4 (vorgeheizt)
Backzeit: 30-40 Minuten.

Käselasagne mit Hackfleisch

250 g Lasagnenudeln	evtl. in kochendes Salzwasser geben
1 Eßl. Speiseöl	hinzufügen, etwa 8 Minuten garen, kalt abspülen, nebeneinander auf ein Küchentuch legen, Lasagnenudeln müssen nicht immer vorgegart werden, sondern können auch trocken eingeschichtet werden
100 g Zwiebeln	abziehen, fein würfeln
30 g Butterschmalz	zerlassen, die Zwiebelwürfel darin andünsten
750 g Hackfleisch	hinzufügen, anbraten, dabei die Klümpchen mit einer Gabel zerdrücken
2 Knoblauchzehen	abziehen, zerdrücken, zu der Hackfleischmasse geben, mit
Salz	
frisch gemahlenem Pfeffer	
1/2 Teel. gerebeltem Majoran	
Paprikapulver	würzen
30 g Butter	zerlassen
30 g Weizenmehl	unter Rühren so lange darin erhitzen, bis es hellgelb ist
250 ml (1/4 l) Brühe	
250 ml (1/4 l) Milch	hinzugießen, mit einem Schneebesen durchschlagen, darauf achten, daß keine Klümpchen entstehen
125 g Schmelzkäse	unterrühren, mit Salz, Pfeffer,
Zucker	
geriebener Muskatnuß	
2 Eßl. Weißwein	abschmecken, Lasagnenudeln, Hackfleisch, Sauce,
400 g Gouda in Scheiben	abwechselnd in eine gefettete Auflaufform übereinanderschichten, die vorletzte Schicht muß aus Sauce, die letzte aus Käse bestehen, abgedeckt in den kalten Backofen schieben.
Ober-/Unterhitze:	Etwa 200 °C
Heißluft:	Etwa 180 °C
Gas:	Stufe 3-4
Backzeit:	Etwa 25 Minuten; die letzten 10-15 Minuten nicht abgedeckt weitergaren, damit die Oberfläche knusprig braun wird.

Chicorée, überbacken

2 Eßl. Speiseöl	erhitzen
500 g Gehacktes (halb Rind-, halb Schweinefleisch)	unter Rühren darin anbraten, dabei die Fleischklümpchen etwas zerdrücken
2 Zwiebeln	abziehen, fein würfeln, zu dem Fleisch geben, mitdünsten
70 g Tomatenmark (aus der Dose)	
250 g gekochten Langkornreis	unterrühren, mit
Salz	
Pfeffer	
Paprika edelsüß	würzen, die Fleisch-Reis-Masse in eine längliche feuerfeste Form geben, von
600 g Chicorée	die welken Blätter entfernen, den Chicorée halbieren, den Strunk keilförmig herausschneiden, den Chicorée waschen, in
kochendes Salzwasser	geben, zum Kochen bringen, 2-3 Minuten kochen, abtropfen lassen, auf die Fleisch-Reis-Masse legen.

Für die Sauce

1 Becher (150 g) Crème fraîche	mit
1 Becher (150 g) Joghurt	
Salz	
Pfeffer	
Paprika edelsüß	verrühren
3 Eßl. gehackte Kräuter (Estragon, Petersilie, Pimpinelle)	
100 g geraspelten Gouda-Käse	unterrühren, die Sauce über den Chicorée geben
150 g Frühstücksspeck (in dünnen Scheiben)	auf dem Chicorée verteilen
2 Eßl. Semmelmehl	darüberstreuen
Butter	in Flöckchen darauf setzen, die Form auf dem Rost in den Backofen schieben.
Strom:	Etwa 225 °C (vorgeheizt)
Heißluf:	Etwa 200 °C (nicht vorgeheizt)
Gas:	Etwa Stufe 4 (vorgeheizt)
Backzeit:	Etwa 30 Minuten.

Moussaka

1 kg Auberginen	waschen, Stengel abschneiden, Auberginen in Scheiben schneiden, mit
Salz	bestreuen und 30 Minuten ziehen lassen, das Salz abtupfen
5 Eßl. Olivenöl	erhitzen, Auberginen darin hellbraun braten, herausnehmen
2 Zwiebeln	abziehen und würfeln
90 g Butter	zerlassen, Zwiebelwürfel glasig dünsten
750 g gehacktes Lamm- oder Rindfleisch	dazugeben, mit Salz,
Pfeffer	
Zimt	würzen und gut verrühren
4 Tomaten	enthäuten, kleinschneiden, mit
3 Eßl. gehackte Petersilie	und
1 Teel. Oregano	unterrühren
125 ml (1/8 l) Fleischbrühe	angießen und etwa 20 Minuten schmoren
20 g Butter	zerlassen
40 g Weizenmehl	darin andünsten
250 ml (1/4 l) Milch	nach und nach mit einem Schneebesen unterschlagen, etwa 5 Minuten kochen, mit Salz und Pfeffer würzen
3 Eigelb	unterrühren, eine feuerfeste Form ausfetten, mit 3 von
6 Eßl. Paniermehl	ausstreuen, die halbe Fleischmasse einfüllen, Hälfte Aubergine darauf geben, mit 2 von
6 Eßl. geriebenem Parmesan-Käse	bestreuen, restliche Fleischmasse, Auberginen, 2 Eßlöffel Käse einfüllen, Sauce darübergießen, mit Käse und restlichem Paniermehl bestreuen, in den Backofen schieben.
Ober-/Unterhitze:	Etwa 175 °C (vorgeheizt)
Heißluft:	Etwa 150 °C (nicht vorgeheizt)
Gas:	Etwa Stufe 2 (vorgeheizt)
Backzeit:	Etwa 45 Minuten.

**Füllungen
aus Hackfleisch**

Gefüllte Schmorgurken (Foto S. 52/53)

Für die Füllung

400 g Hackfleisch (halb Rind-, halb Schweinefleisch)	
125 ml (1/8 l) Wasser	in geben, zum Kochen bringen, so lange kochen lassen, bis die Flüssigkeit verdampft ist, dabei die Fleischklümpchen mit einer Gabel zerdrücken
2 Möhren	putzen, schälen, waschen, raspeln
1 dünne Stange Porree	putzen, gründlich waschen, sehr fein schneiden
1 Eßl. Butter	zerlassen, das Gemüse darin weichdünsten
2 Knoblauchzehen	abziehen, zerdrücken Hackfleisch, Gemüse, Knoblauch mit
1 Becher (200 g) Schmand	
2 Bund feingehacktem Dill	verrühren, mit
Salz	
Pfeffer	abschmecken
4 Schmorgurken	schälen, längs halbieren, entkernen, die Gurkenhälften nebeneinander in eine gefettete feuerfeste Form legen, die Füllung in die Gurken geben
1 Eßl. Semmelmehl	
2 Eßl. frisch geriebenem Parmesan-Käse	mit vermengen, über die Füllung streuen
1 große, abgezogene Fleischtomate	in Würfel schneiden (Stengelansatz herausschneiden), die Tomatenwürfel um die Gurken legen
125 ml (1/8 l) Instant-Fleischbrühe	hinzugießen, die Form auf dem Rost in den Backofen schieben.
Ober-/Unterhitze:	Etwa 200 °C (vorgeheizt)
Heißluft:	Etwa 180 °C (nicht vorgeheizt)
Gas:	Etwa Stufe 3 (vorgeheizt)
Backzeit:	Etwa 45 Minuten.
Beilage:	Reis oder frisch gebackenes Knoblauch-Baguette.

Sellerie, pikant gefüllt

2 Knollen Sellerie (je etwa 600 g)	schälen, waschen, quer halbieren, mit
2 Eßl. Zitronensaft	in
kochendes Salzwasser	geben, zum Kochen bringen, in etwa 30 Minuten gar kochen, abtropfen lassen, das Kochwasser auffangen.

Für die Füllung

100 g durchwachsenen Speck	in feine Würfel schneiden, auslassen
1 Zwiebel	abziehen, fein würfeln, in dem Speckfett goldgelb dünsten lassen
200 g Champignons	putzen, waschen, kleinschneiden, hinzufügen, 5-6 Minuten dünsten lassen, mit
Salz	
Pfeffer	
Selleriesalz	würzen, erkalten lassen, mit
175 g Schweinemett	vermengen, die garen Selleriehälften vorsichtig aushöhlen, das Selleriefleisch pürieren, mit der Fleisch-Pilz-Masse,
1 Ei	vermengen, die Selleriehälften mit der Masse füllen, in eine gefettete Kasserolle setzen.

Für die Soße

von dem Selleriekochwasser 2 Eßl. abnehmen, mit

2 Eßl. Weißwein	
6 Eßl. Schlagsahne	
Salz	
Pfeffer	
Selleriesalz	verrühren, die Soße etwas einkochen lassen, über die gefüllten Selleriehälften gießen, auf jede Selleriehälfte zwei von
8 Scheiben Frühstücksspeck	legen, die Kasserolle auf dem Rost in den Backofen schieben, etwa 10 Minuten vor Ende der Garzeit den Deckel abnehmen.
Strom:	Etwa 200 °C (vorgeheizt)
Heißluft:	Etwa 180 °C (nicht vorgeheizt)
Gas:	Etwa Stufe 3 (vorgeheizt)
Garzeit:	Etwa 40 Minuten.
Beilage:	Kartoffelpüree.

Gefüllte Paprikaschoten

	Von
4 großen Paprikaschoten (1 kg)	einen Deckel abschneiden, Kerne und weiße Scheidewände entfernen, die Schoten waschen, abtrocknen, mit einer Nadel einige Male in den Boden jeder Paprikaschote stechen.
	Für die Füllung
50 g Langkornreis (parboiled)	in
250 ml (1/4 l) kochendes Salzwasser	geben, zum Kochen bringen, ausquellen lassen (er muß noch körnig sein), den garen Reis zum Abtropfen auf ein Sieb geben, mit kaltem Wasser übergießen
1 kleine Zwiebel	abziehen, würfeln, die Zutaten mit
1 Ei	
375 g Hackfleisch (halb Rind-, halb Schweinefleisch)	vermengen, mit
Salz	
gemahlenem Pfeffer	abschmecken, die Füllung in die Schoten geben, die Deckel wieder darauf legen
1 kleine Zwiebel	abziehen, würfeln
4 Eßl. Olivenöl	erhitzen, die Zwiebelwürfel darin andünsten, die Paprikaschoten nebeneinander hineinstellen
200 g Tomaten	waschen, die Stengelansätze herausschneiden, die Tomaten in Stücke schneiden, dazugeben
375 ml (3/8 l) heißes Wasser	hinzugießen, das Gemüse gar dünsten lassen, die Paprikaschoten auf einer vorgewärmten Platte anrichten, warm stellen, die Tomatensauce durch ein Sieb streichen, 375 ml (3/8 l) davon abmessen, zum Kochen bringen, mit
hellem Soßen-Helfer	binden
2 Eßl. Schlagsahne	hinzufügen, die Sauce mit Salz,
Zucker	
Zitronensaft	abschmecken.
Garzeit für den Reis:	12-15 Minuten.
Dünstzeit für das Gemüse:	Etwa 50 Minuten.
Beigabe:	Stangenweißbrot, Kopfsalat.

56

Kohlrouladen

	Von
1 1/2 kg Weißkohl	den Keil herausschneiden, den Kohl kurze Zeit in
kochendes Salzwasser	legen, bis sich die äußeren Blätter lösen, diesen Vorgang wiederholen, bis alle Blätter gelöst sind, abtropfen lassen die dicken Rippen flach- schneiden.

Für die Füllung

1 Brötchen (Semmel)	in kaltem Wasser einweichen, gut ausdrücken
1 mittelgroße Zwiebel	abziehen, würfeln, die Zutaten mit
1 Ei	
250 g Hackfleisch (halb Rind-,	
halb Schweinefleisch)	vermengen, mit
Salz	
gemahlenem Pfeffer	abschmecken, 2-3 große Kohlblätter übereinan-

derlegen, einen Teil der Füllung darauf geben (Foto unten), die Blätter aufrollen, die Roula- den mit einem Faden umwickeln oder mit Rou- ladennadeln zusammenhalten

75 g Margarine	erhitzen, die Rouladen von allen Seiten gut darin bräunen
etwas heißes Wasser	hinzugießen, die Rouladen schmoren lassen, von Zeit zu Zeit wenden, verdampfte Flüssigkeit nach und nach durch heißes Wasser ersetzen; wenn die Rouladen gar sind, die Fäden (Rouladennadeln) entfernen, die Rouladen auf einer vorgewärmten Platte anrichten
1 gestrichenen Eßl. Speisestärke	mit
2 Eßl. kaltem Wasser	anrühren, die Flüssigkeit damit binden, die Soße mit Salz abschmecken.
Schmorzeit:	Etwa 2 Stunden.
Beilage:	Kartoffelpüree.

Cannelloni Rosanella *(Nudelrollen mit Fleischfüllung)*

Für die Füllung

1 Brötchen	in kaltem Wasser einweichen, gut ausdrücken, mit
250 g Gehacktem (halb Rind-, halb Schweinefleisch)	vermengen, die Masse mit
Salz	
Pfeffer	
gerebeltem Oregano	
gerebeltem Thymian	würzen
etwa 250 g Cannelloni	damit füllen (am besten mit Hilfe eines Spritzbeutels oder eines Rührlöffelstiels), die Cannelloni nebeneinander in eine gefettete viereckige Bratpfanne legen.

Für die Sauce

1 Becher (150 g) Crème fraîche	mit
6 Eßl. Milch	verrühren, mit
Salz	
Pfeffer	
Speisewürze	
gehackten Basilikumblättchen	abschmecken, über die Cannelloni gießen (sie müssen ganz mit der Sauce bedeckt sein), mit
1 Eßl. geriebenem Parmesan-Käse	bestreuen
Butter	in Flöckchen darauf setzen, die Pfanne auf dem Rost in den Backofen schieben.
Ober-/Unterhitze:	175-200 °C (vorgeheizt)
Heißluft:	160-180 °C (nicht vorgeheizt)
Gas:	Stufe 3-4 (vorgeheizt)
Backzeit:	Etwa 30 Minuten.
Empfehlung:	Viereckige Bratpfanne.
Beigabe:	Frische Salate.

Pfannkuchentorte
mit Blumenkohl

Für die Pfannkuchen aus

3 Eiern	
180 g Weizenmehl	
375 ml (3/8 l) Milch	einen Teig rühren, mit
Salz, Pfeffer	würzen und mindestens 30 Minuten quellen lassen
4 Eßl. Butterschmalz	in einer großen Pfanne zerlassen, aus dem Teig 6-8 Pfannkuchen backen und warm stellen.

Für die Füllung

1 Zwiebel	abziehen und fein hacken
1 Knoblauchzehe	abziehen und fein hacken
2 Eßl. Butterschmalz	zerlassen, Zwiebel und Knoblauch darin weichdünsten
400 g gemischtes Hackfleisch	hinzufügen und gar braten
3 Eßl. Tomatenmark	
1 kleine Dose geschälte Tomaten (Einwaage etwa 400 g)	
5 Eßl. trockenen Rotwein	dazugeben, mit Salz, Pfeffer,
1 Teel. Oregano	
1 Lorbeerblatt	
Cayennepfeffer	würzen und etwa 30 Minuten im offenen Topf zu einer sämigen Sauce einkochen, inzwischen
1 Blumenkohl (etwa 700 g)	putzen, in Röschen teilen, waschen und in Salzwasser in 6-8 Minuten knapp gar kochen, die Röschen abtropfen lassen und nach 30 Minuten in die Sauce geben, Sauce nochmals abschmecken, das Lorbeerblatt entfernen.

Für die Béchamelsauce

1 Eßl. Butter	zerlassen
1 Eßl. Weizenmehl	hinzufügen und unter Rühren goldgelb dünsten
750 ml (3/4 l) Milch	nach und nach hinzufügen und gut durchschlagen, die Sauce 15 Minuten schwach köcheln lassen, dann
250 g frisch geriebenen Emmentaler	unterrühren, mit Salz, Pfeffer,
Muskat	würzen

in eine runde, feuerfeste, gefettete Form einen Pfannkuchen legen, etwas Blumenkohl-Tomaten-Sauce darauf verteilen und Béchamelsauce darüber geben, mit einem Pfannkuchen bedecken, so fortfahren, bis die Zutaten eingeschichtet sind, zuletzt die restliche Béchamelsauce auf den obersten Pfannkuchen geben, in den Backofen schieben.

Ober-/Unterhitze:	Etwa 200 °C (vorgeheizt)
Heißluft:	Etwa 180 °C (nicht vorgeheizt)
Gas:	Etwa Stufe 3 (vorgeheizt)
Backzeit:	15 - 20 Minuten.

Gefüllte Zwiebeln *(Foto)*

4 mittelgroße Gemüsezwiebeln (etwa 1 kg)	abziehen, von den Zwiebeln einen Deckel abschneiden, die Zwiebeln (ohne Deckel) in
kochendes Salzwasser	legen, so lange kochen lassen, bis sich die drei äußeren Schichten auf einmal lösen lassen; die Zwiebelreste für die Füllung und evtl. für eine Zwiebelsuppe verwenden

Für die Füllung

1 Brötchen (Semmel)	in kaltem Wasser einweichen
100 g Zwiebelreste	würfeln
1/2 rote Paprikaschote	entstielen, entkernen, die weißen Scheidewände entfernen, das Stück Schote waschen, in kleine Würfel schneiden
3 Eßl. Speiseöl	erhitzen, Zwiebeln, Paprika darin andünsten, erkalten lassen
375 g Gehacktes (halb Rind-, halb Schweinefleisch)	mit dem gut ausgedrückten Brötchen, der Zwiebel-Paprika-Masse,
1 Ei 1 schwach gehäuften Teel. Senf Salz Pfeffer	vermengen, mit
gerebeltem Majoran	abschmecken, die Füllung in die Zwiebeln geben
50 g Butter oder Margarine	zerlassen, die Zwiebeln nebeneinander hineinstellen, andünsten
125 ml (1/8 l) Weißwein 125 ml (1/8 l) Instant-Fleischbrühe	hinzugießen, die Zwiebeln gar dünsten lassen, auf einer vorgewärmten Platte anrichten, nach Belieben
1 gestrichenen Eßl. Speisestärke	mit
2 Eßl. kaltem Wasser	anrühren, die Sauce damit binden, mit Salz, Pfeffer abschmecken, die Zwiebeln mit der Sauce servieren.
Dünstzeit:	Etwa 45 Minuten.

Gefüllter Lauch

4 mittelgroße Stangen Lauch   putzen, gründlich waschen und in 8 Stücke schneiden, 5 Minuten in

kochendem Salzwasser   vorgaren, Lauch herausnehmen und den Gemüsesud zur Seite stellen, den Lauch auf einer Seite aufschneiden, die Innenblätter herausnehmen und fein hacken

2 Zwiebeln   abziehen, fein hacken

250 g Rindergehacktes   mit den gehackten Lauchblättchen, Zwiebelwürfeln,

bitte umblättern

2 EL Schnittlauchröllchen
1 Ei
3 Teel. geriebenem
Emmentaler-Käse
2 Eßl. Tomatenmark   verkneten, mit
Salz
frisch gemahlenem Pfeffer
Paprika edelsüß   würzen, den Gehacktesteig in 8 Portionen teilen, den Lauch etwas auseinanderziehen und
mit dem Fleischteig füllen, die Lauchrollen in
eine gefettete Auflaufform geben, mit 125 ml
(1/8 l) der Lauchbrühe auffüllen und die Form
auf dem Rost in den Backofen schieben.

Ober-/Unterhitze: Etwa 175 °C (vorgeheizt)
Heißluft: Etwa 155 °C (nicht vorgeheizt)
Gas: Stufe 2-3 (vorgeheizt)
Garzeit: 15-20 Minuten.
Tip: Mit Kartoffelpüree servieren.

Pikanter Fleischkuchen (Foto)

Für den Teig
200 g Weizenmehl (Type 550)   in eine Rührschüssel sieben, mit
1 Ei
100 g Butter
etwas Salz   zu einem geschmeidigen Teig verkneten, sollte
er zu fest geraten, etwas Wasser unterkneten,
den fertigen Teig zu einer Kugel formen, in
Frischhaltefolie gewickelt etwa 1 Stunde ruhen
lassen.

Für die Füllung
1 Gemüsezwiebel   abziehen, in Würfel schneiden, in
etwas Pflanzenöl
oder Margarine   andünsten, mit
600 g Hackfleisch
(Rind und Kalb)
1 EL gehackter Petersilie
1 Prise gerebeltem Thymian
1 Prise gerebeltem Majoran
2 EL gehackten
Pistazienkernen
2 Eiern   gut vermischen, mit

Salz	
frisch gemahlenem Pfeffer	
Tabascosauce	abschmecken, den Teig auf einer leicht bemehlten Arbeitsfläche ausrollen, eine Kastenform ausfetten, mit dem Teig auslegen, den überstehenden Teigrand mit einem Messer abschneiden, die Hackfleischmasse in die Form füllen, glattstreichen.
Ober-/Unterhitze:	180-200 °C (vorgeheizt)
Heißluft:	150-180 °C (nicht vorgeheizt)
Gas:	Stufe 4 (vorgeheizt)
Backzeit:	Etwa 40 Minuten, den Kuchen herausnehmen und abkühlen lassen
4 Blatt Gelatine, weiß	in
kaltem Wasser	einweichen, ausdrücken, in einen Topf geben, bei geringer Temperatur auflösen, mit
2 Bechern (je 150 g) Joghurt	verrühren, auf dem Fleischkuchen verteilen; wenn der Joghurt erstarrt ist, Kuchen auf einer Platte anrichten, nach Belieben mit
Cocktailtomaten	
Radieschen	garnieren.

Ravioli

Für den Nudelteig

300 g Weizenmehl auf eine Tischplatte sieben, in die Mitte eine Vertiefung eindrücken

2 Eier
2 Eiweiß
2 Eßl. Speiseöl
Salz verschlagen, in die Vertiefung geben, mit einem Teil des Mehls zu einem dicken Brei verarbeiten, von der Mitte aus alle Zutaten zu einem glatten Teig verkneten (sollte er kleben, noch etwas Mehl hinzufügen), den Teig noch etwa 10 Minuten ruhen lassen.

Für die Füllung

1 Eßl. Speiseöl erhitzen
250 g Rindergehacktes unter Rühren darin anbraten, dabei die Fleischklümpchen zerdrücken
1 kleine Zwiebel abziehen, fein würfeln
1 Knoblauchzehe abziehen, fein würfeln
1 mittelgroße Möhre waschen, schälen und grob raspeln
alle Zutaten zum Fleisch geben, mitschmoren lassen

2 Eigelb
1 Eßl. Tomatenmark
1/4 Teel. gerebelten Thymian zugeben, mit
Salz
frisch gemahlenem Pfeffer würzen, die Masse abkühlen lassen
die Hälfte des Nudelteiges mit
Weizenmehl bestäuben, dünn zu einem Rechteck von 48 x 36 cm ausrollen, in der Mitte teilen, eine Hälfte mit einem feuchten Küchentuch abdecken, auf die andere Hälfte reihenweise in Abständen von je 6 cm walnußgroße Portionen der Füllung geben, mit einem in Wasser getauchten Küchenpinsel zwischen den Häufchen auf dem Teig längs und quer Linien ziehen, so daß kleine Quadrate entstehen, die zweite Lage Teig darauf legen, gut auf die angefeuchteten Linien drücken, mit einem Teigrädchen den Linien folgend die Quadrate ausschneiden, die Ravioli auf Pergamentpapier legen, beiseite stellen, aus

der anderen Hälfte des Teiges und der Füllung
in gleicher Weise Ravioli herstellen

Salzwasser mit
1 Eßl. Speiseöl zum Kochen bringen, Ravioli ins kochende
Wasser geben, vorsichtig umrühren, in 8-10
Minuten gar kochen lassen, in eine vorgewärmte Schüssel füllen

50 g Butter zerlassen, über die Ravioli geben, mit
100 g Parmesan-Käse bestreuen.

Suppen und Eintöpfe
mit Hackfleisch

Spargel-Kerbel-Suppe *(Foto S. 70/71)*

200 g Tatar	mit
2 Eßl. Butter	
1 Eigelb	
etwas Semmelmehl	
1 Eßl. feingehackter Petersilie	zu einer geschmeidigen Masse verkneten, mit
Salz	
Pfeffer	
geriebener Muskatnuß	würzen, aus der Masse Klößchen formen.

	Für die Suppe
750 g Spargel	schälen, die Enden abschneiden, den Spargel waschen, abtropfen lassen, in etwa 3 cm lange Stücke schneiden
250 g Champignons	putzen, waschen, in Scheiben schneiden
1 Bund Suppengrün	
3 Frühlingszwiebeln	beide Zutaten putzen, waschen, in feine Streifen schneiden
3 Eßl. Butter	zerlassen, Suppengrün- und Zwiebelstreifen darin leicht andünsten
1 l Fleischbrühe	hinzugießen, zum Kochen bringen, die Spargelstückchen darin zum Kochen bringen, nach etwa 10 Minuten die Champignons und die Klößchen dazugeben, etwa 5 Minuten bei schwacher Hitze mitkochen lassen
3 Eßl. Crème fraîche	unterrühren
4 Eßl. gehackte Kerbelblättchen	über die Suppe geben.
Beigabe:	Toast, Butter.

Maissuppe

250 g Zwiebeln	abziehen, würfeln
50 g Margarine	zerlassen, die Zwiebeln darin glasig dünsten lassen
250 g Gehacktes (halb Rind-, halb Schweinefleisch)	hinzufügen, kurz anbraten
1 grüne Paprikaschote	halbieren, entstielen, entkernen, die weißen Scheidewände entfernen, die Schote waschen, in Streifen und Würfel schneiden, zu dem Gehackten geben, mitschmoren lassen, mit

Salz	
Pfeffer	würzen
gerebelten Thymian	
gerebelten Majoran	
gerebelten Rosmarin	unterrühren
etwa 500 g Tomaten (aus der Dose)	
etwa 100 g Tomatenpaprika (aus dem Glas)	
etwa 550 g Mais (2 Dosen)	die 3 Zutaten mit der Flüssigkeit zu dem Gehackten geben
1 l Fleischbrühe (Instant)	hinzugießen, die Suppe zum Kochen bringen, etwa 15 Minuten kochen lassen, evtl. nochmals mit Salz und Pfeffer abschmecken, mit
2 EL gehackter Petersilie	bestreuen.
Garzeit:	Etwa 30 Minuten.
Veränderung:	Aus dem Gehackten Bällchen formen, kurz anbraten, mit dem Gemüse und den Gewürzen in die Fleischsuppe geben.

Lauch-Käse-Suppe

2-3 Zwiebeln	abziehen, würfeln
4 Eßl. Pflanzenöl	in einem Topf erhitzen, Zwiebelwürfel darin andünsten
375 g Rindergehacktes	dazugeben und anbraten, dabei die Fleischklümpchen mit einer Gabel zerdrücken, mit
Salz	
frisch gemahlenem Pfeffer	würzen
4 Stangen Lauch	putzen, halbieren, waschen und in Scheiben schneiden, zu dem Gehackten geben und kurz mitdünsten lassen
750 ml (3/4 l) Fleischbrühe	dazugießen und 15-20 Minuten kochen lassen
150 g Sahneschmelzkäse	
100 g Kräuterschmelzkäse	unterrühren
1 Dose geschnittene Champignons (Einwaage 245 g)	in der Suppe erhitzen, nochmals würzen.

Reisfleisch mit Pilzen

400 g Champignons	putzen, abspülen, abtropfen lassen, in kleinere Stücke schneiden
1 mittelgroße Zwiebel	abziehen, fein würfeln
2 Eßl. Margarine	zerlassen, die Zwiebelwürfel darin etwa 3 Minuten glasig dünsten lassen
250 g Langkornreis	hinzufügen, unter Rühren etwa 5 Minuten darin anbraten
250 g Gehacktes (halb Rind-, halb Schweinefleisch)	hinzufügen, unter Rühren darin anbraten, dabei die Fleischklümpchen etwas zerdrücken, die Pilzstücke,
2 Teel. Currypulver *500 ml (1/2 l)* *heiße Instant-Hühnerbrühe*	hinzufügen, zum Kochen bringen, in etwa 20 Minuten gar kochen lassen, mit
Salz	würzen
frisch gemahlenen *schwarzen Pfeffer* *1 Eßl. abgezogene,* *gehackte Mandeln*	über das Reisfleisch geben.

Kohlrabisuppe *(Foto)*

Von

3-4 Kohlrabi *(etwa 1 kg)*	die Blätter entfernen, die kleinen Blätter beiseite legen, die Kohlrabi schälen, waschen, in Würfel schneiden
2-3 Möhren *(etwa 250 g)*	putzen, schälen, waschen, in Scheiben schneiden
1 Steckrübe *(etwa 500 g)*	schälen, waschen, in Würfel schneiden
1 Zwiebel	abziehen, würfeln
2-3 Eßl. Butter *oder Margarine*	zerlassen, die Zwiebelwürfel darin glasig dünsten lassen, die Steckrübenwürfel hinzufügen, durchdünsten lassen
1 l Fleischbrühe	hinzugießen, zum Kochen bringen, 5 Minuten kochen lassen

Möhrenscheiben und Kohlrabiwürfel mit

1-2 Lorbeerblättern
2 Wacholderbeeren
etwa 10 schwarzen
Pfefferkörnern   hinzufügen, die Suppe zum Kochen bringen
1/2 Brötchen   in kaltem Wasser einweichen, gut ausdrücken
1 kleine Zwiebel   abziehen, fein würfeln
350 g Gehacktes (halb Rind-,
halb Schweinefleisch) mit der Brötchenhälfte, den Zwiebelwürfeln,
1 Ei   gut vermengen, mit
Salz
Pfeffer   würzen, aus der Hackfleischmasse Klößchen
                      formen, nach etwa 15 Minuten Garzeit in die
                      Suppe geben, zum Kochen bringen, die Klöß-
                      chen in 7-10 Minuten darin gar ziehen lassen,
                      die Suppe mit Salz abschmecken, die zurückge-
                      lassenen Kohlrabiblättchen abspülen, abtropfen
                      lassen, hacken, in die Suppe geben.
Beigabe: Roggenbrötchen.

Spitzkohleintopf mit Tomaten

1 kg Spitzkohl (vorbereitet gewogen)	waschen, in feine Streifen schneiden
750 g Kartoffeln	schälen, waschen, in Würfel schneiden
500 g Tomaten	kurze Zeit in kochendes Wasser legen, in kaltem Wasser abschrecken, enthäuten, in Würfel schneiden
60 g Margarine oder Schweineschmalz	zerlassen, Spitzkohl, Kartoffeln,
375 ml (3/8 l) heißes Wasser	hinzufügen, mit
Salz	
Pfeffer	würzen, zum Kochen bringen, gar kochen lassen.

Für die Fleischklößchen

1 Brötchen (Semmel)	in kaltem Wasser einweichen, gut ausdrücken
1 kleine Zwiebel	abziehen, würfeln
250 g Gehacktes (halb Rind-, halb Schweinefleisch)	mit dem Brötchen, der Zwiebel,
1 Ei	vermengen, mit Salz, Pfeffer abschmecken, aus der Masse etwa 20 Klößchen formen, mit den Tomaten 20 Minuten vor Beendigung der Kochzeit zu dem Spitzkohl geben, den garen Eintopf mit Salz abschmecken, nach Belieben noch etwas Wasser hinzufügen.
Kochzeit:	Etwa 1 Stunde.

Bohnensuppe Cevapcici (Foto)

500 g Grüne Bohnen	abfädeln, in Stücke schneiden
2 Bund Suppengrün	putzen, waschen, würfeln
2 Eßl. Butter	zerlassen
	beide Zutaten darin andünsten
750 ml (3/4 l) Instant-Fleischbrühe	hinzufügen, zum Kochen bringen
500 g Kartoffeln	schälen, waschen, würfeln, die Kartoffelwürfel mit
gerebeltem Bohnenkraut	hinzufügen, zum Kochen bringen etwa 15 Minuten kochen lassen
2 rote Paprikaschoten	halbieren, entstielen, entkernen, die weißen Scheidewände entfernen, die Schoten waschen, in feine Streifen schneiden

1 kleine Dose Weiße Bohnen	
(Einwaage 425 g)	mit den Paprikastreifen hinzufügen
250 g Thüringer Mett	zu etwa 4 cm langen, ovalen Klößchen formen, in die Suppe geben, etwa 7 Minuten mitgaren lassen, die Suppe mit
gehackten Kräutern	bestreuen
Garzeit:	30-35 Minuten
Tip:	Die Gemüsebeigaben können je nach Geschmack variiert werden, besonders eignen sich Weißkohlstreifen oder Rote Bohnen.

Paprikakraut-Topf

	Von
1 kg Weißkohl	die äußeren Blätter entfernen, den Kohl vierteln, den Strunk herausschneiden, den Kohl fein hobeln, waschen, abtropfen lassen
3 Zwiebeln	abziehen, würfeln
200 g durchwachsenen Speck	in feine Würfel schneiden, auslassen, die Zwiebelwürfel darin andünsten
2 Eßl. Paprika edelsüß	unterrühren, den Weißkohl hinzufügen, mitdünsten lassen
500 ml (1/2 l) Fleischbrühe	hinzugießen
100 g Crème fraîche	
1 Eßl. Tomatenmark	unterrühren, mit
Salz	
Pfeffer	würzen, zum Kochen bringen, etwa 25 Minuten dünsten lassen
500 g Kartoffeln	schälen, waschen, in Würfel schneiden, in den Eintopf geben, in etwa 20 Minuten gar dünsten lassen.
	Für die Fleischklößchen
1 Brötchen (vom Vortag)	in kaltem Wasser einweichen, ausdrücken
1 Zwiebel	abziehen, fein würfeln
	beide Zutaten mit
375 g Rinderhack	
1 Ei	gut vermengen, mit
Salz, Pfeffer	
Paprika edelsüß	würzen, aus der Masse Klößchen formen
2 Eßl. Butterschmalz	zerlassen, die Klößchen darin von allen Seiten goldbraun braten, in den garen Eintopf geben
2-3 Eßl. Crème fraîche	auf den Paprikakraut-Topf geben
2 Eßl. gehackte Petersilie	darüberstreuen.

Chili con Carne *(Foto)*

75 g durchwachsenen Speck	in Würfel schneiden
2-3 Zwiebeln	
1 Knoblauchzehe	beide Zutaten abziehen, fein würfeln, in dem Speckfett glasig dünsten lassen
500 g Rindergehacktes	hinzufügen, unter ständigem Rühren etwa 7 Minuten braten lassen

etwa 250 g Tomaten (aus der Dose)	abtropfen lassen, kleinschneiden, mit der Tomatenflüssigkeit
etwa 600 g Kidneybeans (aus der Dose) 3 Eßl. Chilisauce	zu dem Gehackten geben, mit
2 Teel. Chilipulver Salz Zucker	würzen, zum Kochen bringen, in etwa 15 Minuten gar kochen lassen, den fertigen Eintopf nochmals mit den Gewürzen abschmecken.
Beigabe:	Roggenstangenbrot oder kräftiges Bauernbrot.

Chinakohleintopf

	Von
2 Stauden Chinakohl	
(etwa 750 g)	die welken Blätter entfernen, den Kohl halbieren, den Strunk herausschneiden, den Kohl waschen, in schmale Streifen schneiden
2-3 Zwiebeln	
(etwa 150 g)	abziehen, fein würfeln
250 g Tomaten	kurze Zeit in kochendes Wasser legen (nicht kochen lassen), in kaltem Wasser abschrecken, enthäuten, die Stengelansätze herausschneiden, die Tomaten in Scheiben schneiden
250 g Kartoffeln	schälen, waschen, in Würfel schneiden
40 g Butter oder Margarine	zerlassen, die Zwiebelwürfel darin goldgelb dünsten
375 g Gehacktes (halb Rind-, halb Schweinefleisch)	hinzufügen, kurze Zeit miterhitzen, mit
Salz	
frisch gemahlenem Pfeffer	würzen, Chinakohlstreifen, Tomatenscheiben, Kartoffelwürfel,
250 ml (1/4 l) Wasser	dazugeben, gar schmoren lassen, den Eintopf mit Salz, Pfeffer,
etwa 2 Eßl. Tomaten-Ketchup	abschmecken.
Schmorzeit:	Etwa 45 Minuten.
Empfehlung:	Emailtopf.

Bunter Gemüse-Eintopf mit Hackfleisch-Bällchen *(6 Portionen – Foto)*

500 g Fleischknochen	unter fließendem kaltem Wasser abspülen, in
1 1/2 l Salzwasser	zum Kochen bringen, abschäumen, etwa 1 1/2 Stunden kochen lassen
375 g Kartoffeln	schälen, waschen, in kleine Würfel schneiden die Knochen aus der Brühe nehmen, die Brühe durch ein Sieb gießen Kartoffelwürfel,
2 Päckchen (je 450 g) tiefgekühltes Suppengemüse	in die Brühe geben, mit

Salz	
Pfeffer	und nach Belieben mit
gehackten	
Bohnenkrautblättchen	
gehackten Thymianblättchen	
gehackten Majoranblättchen	würzen, etwa 15 Minuten kochen lassen.

Für die Hackfleisch-Bällchen

1/2 Brötchen (Semmel)	in kaltem Wasser einweichen
1 mittelgroße Zwiebel	abziehen, fein würfeln
375 g Hackfleisch (halb Rind-,	
halb Schweinefleisch)	mit dem gut ausgedrückten Brötchen,
1 Ei	den Zwiebelwürfeln und
Senf	vermengen, mit
Salz	
Pfeffer	abschmecken, aus der Masse mit nassen Händen Bällchen formen, in 5-10 Minuten gar ziehen lassen, den Eintopf mit
1 Eßl. gehackter Petersilie	bestreuen.
Garzeit:	Etwa 2 Stunden.
Veränderung:	Einige Broccoliröschen mitkochen lassen.
Beigabe:	Kleine Roggenbrötchen.

**Ideal für Partys:
Snacks aus Hack**

Beefsteak Tatar *(Foto S. 82/83)*

2 Zwiebeln	abziehen, in feine Würfel schneiden, mit
500-750 g Tatar	
1 Eßl. Salatöl	
1-2 Teel. Senf	
1 Teel. zerdrücktem	
grünem Pfeffer	verrühren, mit
Salz	
Paprika edelsüß	
Essig	abschmecken, das Tatar in Portionen auf einer Platte oder in einer Schüssel anrichten, mit
Majoran	garnieren, in jede Portion eine Vertiefung eindrücken
	jeweils 1-2 Eigelb von
6-8 Eigelb	hineingeben, in kleinen Schüsseln
Zwiebelringe	
geschroteten Pfeffer	
Gewürzgurken	
Schnittlauch	
Paprika edelsüß	
Sardellenfilets	
Kapern	
gehackte Petersilie	dazureichen.
Beigabe:	Bauernbrot.

Würzige Hackfleisch-Pastetchen

(6 Portionen)

375 g tiefgekühlten	
Blätterteig	fast völlig auftauen lassen
2 Tomaten	kurz in kochendes Wasser legen (nicht kochen lassen), in kaltem Wasser abschrecken, enthäuten, Stengelansätze herausschneiden und das Fruchtfleisch würfeln
1 rote Paprikaschote	halbieren, vierteln, entstielen und entkernen, die weißen Scheidewände entfernen, die Schote waschen und in feine Streifen schneiden
2 Frühlingszwiebeln	putzen, waschen und fein schneiden
2 Knoblauchzehen	abziehen und in feine Scheiben schneiden
2 Eßl. Pflanzenöl	in einer Pfanne erhitzen

250 g Rindergehacktes	dazugeben und bei starker Hitze schnell anbraten, dabei die Fleischklümpchen mit einer Gabel zerdrücken Paprikastreifen, Knoblauchscheiben und Frühlingszwiebeln dazugeben, mit
1 Beutel mexikanischer Gewürzmischung (z. B von Old El Paso) Salz frisch gemahlenem Pfeffer Paprika edelsüß	würzen alle Zutaten etwa 10 Minuten bei mittlerer Hitze kochen lassen, bis die Flüssigkeit fast verdampft ist Tomatenwürfel dazugeben, kurz aufkochen lassen, mit Salz und Pfeffer abschmecken, die Masse abkühlen lassen den Blätterteig auf einer bemehlten Arbeitsfläche dünn ausrollen und 8 Kreise von je 12 cm Durchmesser sowie 8 Kreise von je 8 cm Durchmesser ausstechen 8 kleine Pastetenformen fetten, mit den größeren Blätterteigplättchen auslegen, die Füllung auf die Formen verteilen, die Ränder der Teigplättchen mit Wasser befeuchten und die kleineren Teigplättchen als Deckel darauf legen, die Ränder gut andrücken, den Deckel mehrmals einstechen, damit die Flüssigkeit entweichen kann
1 Eigelb *2 Eßl. Wasser*	mit verquirlen, die Oberfläche der Pastetchen damit bestreichen die Pastetchen auf einen Rost stellen, auf dem Rost in den Ofen schieben und goldbraun backen.
Ober-/Unterhitze:	Etwa 200 °C (vorgeheizt)
Heißluft:	Etwa 180 °C (nicht vorgeheizt)
Gas:	Etwa Stufe 5 (vorgeheizt)
Backzeit:	Etwa 15 Minuten.
Tip:	Die Pastetchen sind, mit frischem Salat angerichtet, ein leckerer Imbiß. Sie eignen sich auch sehr gut für Picknicks und Buffets.

85

Tacos mit Hackfleischfüllung

1 Zwiebel	abziehen und fein würfeln
3 Eßl. Pflanzenöl	in einer Pfanne erhitzen, Zwiebelwürfel und
500 g Rindergehacktes	darin anbraten, dabei die Fleischklümpchen mit einer Gabel zerdrücken
2 Knoblauchzehen	abziehen, durch eine Knoblauchpresse über das Gehackte geben, gut unterrühren
1 Beutel mexikanische Gewürzmischung (z. B. Taco Seasoning von Old El Paso)	
Salz	
frisch gemahlenen Pfeffer	
Paprika edelsüß	darübergeben
125 ml (1/8 l) Fleischbrühe	dazugießen, umrühren und etwa 15 Minuten zugedeckt bei mittlerer Hitze garen
1 Avocado	halbieren, entkernen, schälen und in Würfel schneiden, mit
etwas Zitronensaft	beträufeln
1 Dose Gemüsemais (Einwaage 175 g)	auf ein Sieb geben und abtropfen lassen
1 Becher (150 g) saure Sahne	
1 Eßl. gehackte Kräuter (z. B. Petersilie, Basilikum)	verrühren
1 kleinen Eisbergsalat	putzen, zerpflücken, waschen, trockenschleudern oder gut abtropfen lassen und in feine Streifen schneiden
1 Bund Frühlingszwiebeln	putzen, waschen und in kleine Ringe schneiden
1 Packung (12 Stück) große Taco-Schalen	mit der offenen Seite nach unten auf ein Backblech setzen, im Backofen erwärmen.
Ober-/Unterhitze:	Etwa 180 °C (vorgeheizt)
Heißluft:	Etwa 160 °C (nicht vorgeheizt)
Gas:	Stufe 2-3 (vorgeheizt)
Backzeit:	Etwa 3-4 Minuten.
	Alle Zutaten zum Garnieren der Tacos in Schüsseln anrichten, das Hackfleisch in einer Schale auf einem Rechaud warm stellen
	jeweils einen Taco mit Hackfleisch, Salat, Mais, Avocado- und Zwiebelwürfeln füllen, mit
Tacodip (1 Dose) oder Kräutersahne	beträufeln und mit

125 g geriebenem mittelaltem Gouda	bestreuen.
Tip:	Gefüllte Tacos eignen sich sehr gut als Zwischenmahlzeit, als Gericht auf einem Buffet und für Feste und Parties. Für die Füllung können auch andere Zutaten wie z. B. Gurkenscheiben, geraspelte Möhren oder milde, eingelegte Chilischoten verwendet werden.

Mansfelder Knäzchen *(Foto)*

500 g Schweinemett	
2 Eßl. mittelscharfen Senf	mit einer Gabel vermischen
2 Zwiebeln	abziehen und sehr fein würfeln
2 Gewürzgurken	
1 Stück Senfgurke	sehr fein würfeln und mit den Zwiebelwürfeln mischen
	die Hälfte der Zwiebel- und Gurkenwürfel mit viel
geschrotetem Pfeffer	unter das Mett arbeiten
4 dicke Scheiben Roggenbrot	mit
Butter	bestreichen, das Mett auf den Broten verteilen und mit dem restlichen Würfelgemisch garniert servieren.

Haferflocken-Eierkuchen mit Hackfüllung

Für den Teig

75 g Haferkleie-Flocken	
50 g Haferflocken	
100 g Weizenvollkornmehl	mischen, in eine Schüssel geben
3 Eier	mit
Salz	
geriebenem Muskat	
3 Eßl. geriebenem Käse	
500 ml (1/2 l) Milch	verschlagen, alles in die Schüssel geben, mit dem Knethaken des Handrührgerätes zu einem Teig verrühren (es dürfen keine Klumpen entstehen) den Teig 30-40 Minuten stehen lassen.

Für die Hacksauce

1 Eßl.(15 ml) Pflanzenöl	erhitzen
375 g Gehacktes (halb Rind-, halb Schweinefleisch)	darin unter ständigem Rühren anbraten, dabei die Fleischklümpchen zerdrücken
1 Zwiebel (50 g)	abziehen und in kleine Würfel schneiden
1-2 Knoblauchzehen	abziehen und fein hacken, beide Zutaten zum Fleisch hinzufügen, dünsten und mit Salz,
Pfeffer	
Paprika	
gerebeltem Thymian	
gerebeltem Oregano	würzen
etwa 70 g Tomatenmark (aus der Dose)	
125 ml (1/8 l) Rotwein	unterrühren, zum Kochen bringen, Hacksauce 10-15 Minuten kochen lassen, eventuell nochmals mit den Gewürzen abschmecken, warm stellen
	von
3 Eßl. (45 g) Butter	etwas in einer Pfanne erhitzen, eine dünne Teiglage hineingeben, von beiden Seiten goldgelb backen, bevor der Eierkuchen gewendet wird, etwas Fett in die Pfanne geben, die übrigen Eierkuchen auf die gleiche Weise zubereiten, in die Eierkuchen die Hacksauce geben, Eierkuchen zusammenklappen und servieren.

Hackfleisch-Spieße

300 g mageres Hackfleisch (Lamm oder Rind)	mit
300 g Schweinemett	verkneten
1 Zwiebel	abziehen, fein würfeln
2 Knoblauchzehen	abziehen, zerdrücken
1 Bund glatte Petersilie	abspülen, trockentupfen, fein hacken die drei Zutaten mit dem Hackfleisch,
1 Teel. Senf	
1 Teel. Salz	
1 Teel. frisch gemahlenem Pfeffer	verkneten, aus der Hackfleischmasse mit nassen Händen 2-3 cm dicke Röllchen formen, Metall-Grillspieße durch die Röllchen stecken, die Hackfleisch-Spieße auf den Holzkohlengrill oder auf Alufolie unter den Elektrogrill legen, in etwa 10 Minuten von allen Seiten knusprig braun grillen.

Für die Joghurt-Soße

2 Knoblauchzehen	abziehen, zerdrücken, mit
500 g Bulgaren-Joghurt	
4 Eßl. zerlassener Butter	
2 Eßl. feingehacktem Dill	verrühren, zu den Spießen servieren.
Beigabe:	Fladenbrot, Salat.

Hackfleischtaschen

Für den Teig

300 g Weizenmehl (Type 550)	mit
1 Päckchen Backpulver	mischen, in eine Rührschüssel sieben
150 g Speisequark	
100 ml Milch	
100 ml Speiseöl	
1 Prise Salz	hinzufügen, die Zutaten mit Handrührgerät mit Knethaken auf höchster Stufe in etwa 1 Minute verarbeiten, anschließend auf der bemehlten Arbeitsfläche zu einer Rolle formen

bitte umblättern

89

1 kleine Zwiebel	abziehen, in feine Würfel schneiden
1 kleine gelbe oder	
grüne Paprikaschote	halbieren, entstielen, entkernen, die weißen Scheidewände entfernen, die Schoten waschen, in kleine Würfel schneiden
20 g Butter	zerlassen, die Zwiebel- und Paprikawürfel darin andünsten
125 g Rinderhackfleisch	
125 g Schweinehackfleisch	hinzufügen, anbraten
2 Tomaten	kurze Zeit in kochendes Wasser legen (nicht kochen lassen), in kaltem Wasser abschrecken, enthäuten, die Stengelansätze herausschneiden, die Tomaten in Würfel schneiden, zu dem Fleisch geben
3 Eßl. gehackte Kräuter	
(Petersilie, Dill,	
Liebstöckl, Thymian)	
Salz	
frisch gemahlenen Pfeffer	hinzugeben, die Masse auskühlen lassen
150 g saure Sahne	unterheben, den Teig ausrollen, rund ausstechen (Durchmesser 12-15 cm), jeweils auf eine Teighälfte etwa 1 Eßlöffel von der Hackfleischmasse geben, die Teigränder mit
aufgeschlagenem Eiweiß	bestreichen, zusammenklappen
1 Ei	mit
2 Eßl. Milch	verschlagen, die Oberfläche damit bestreichen und in den Backofen schieben.
Ober-/Unterhitze:	Etwa 200 °C (vorgeheizt)
Heißluft:	Etwa 180 °C (nicht vorgeheizt)
Gas:	Etwa Stufe 4 (vorgeheizt)
Backzeit:	Etwa 25 Minuten.

Hackfleischeier *(4 Portionen – Foto)*

2 Eßl. Olivenöl	in einer großen Pfanne erhitzen
250 g Lamm- oder	
Rinderhack	darin braten
250 g Zwiebeln	abziehen, in feine Würfel schneiden
2 Knoblauchzehen	abziehen, kleinschneiden
1 Teel. Salz	darüberstreuen und mit einem Messerrücken die Knoblauchstückchen zerreiben, dann zum Fleisch geben und kurz mitbraten

1 grüne Paprikaschote	halbieren, entkernen, in feine Würfel schneiden und zum Fleisch geben, das Fleisch und das Gemüse bei mäßiger Hitze gar dünsten
2-3 Tomaten	enthäuten, entkernen, in feine Würfel schneiden und unter das Fleisch ziehen, mit
Salz *Pfeffer aus der Mühle* *1 Prise Cayennepfeffer* *1 Teel. Paprikapulver*	kräftig abschmecken und 2-3 Minuten köcheln lassen
8 Eier	gleichmäßig auf das Hackfleisch setzen und so lange braten, bis die Spiegeleier gar sind, mit Salz und Pfeffer nochmals würzen
1 Bund Petersilie	abspülen, trockentupfen und fein hacken, die Hackfleischeier damit bestreuen.

Rezeptverzeichnis nach Kapiteln Seite

Rezeptverzeichnis, alphabetisch